Directrice de l'édition
Michelle Provost

**Direction artistique
et conception graphique**
Dufour et Fille, Design inc.

Responsable du projet
Laurent Lachance

Commercialisation
Jean-Pierre Dion

Diffusion
Presse Import Léo Brunelle inc.
307, Benjamin-Hudon
Saint-Laurent, Montréal, Québec
H4N 1J1
1 (514) 336-4333

Conte tiré de la série télévisée
Passe-Partout, Des amis de partout.

Dépôt légal: 4e trimestre 1987
Bibliothèque nationale du Québec
Bibliothèque nationale du Canada

ISBN 2-551-06775-8

Imprimé au Canada

AU PAYS DE BOMBANCE

Texte et conception pédagogique
Marielle Richer

Illustré par
Gilles Tibo

Éducation
Québec

Radio
Québec

Il y a de ça très longtemps, au pays de Bombance, vivaient des animaux tous différents et aussi beaux les uns que les autres.

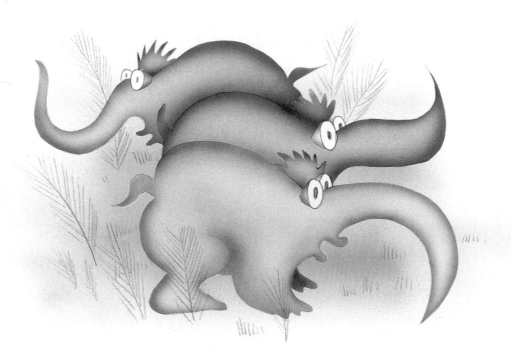

Il y avait les Trompes-à-bec à long bec, les Zargouilles à longues griffes et les Cracals à larges pinces. Dans ce pays, la forêt est remplie d'arbres de marmolia qui débordent de feuilles, de fleurs et de fruits. Chaque groupe d'animaux se nourrit aux arbres de marmolia, mais à des heures différentes.

Chacun a son territoire et jamais personne n'en sort. Ils se regardent toujours de loin parce qu'ils se trouvent bizarres. Ils ont très peur les uns des autres.

Dès le matin, les Trompes-à-bec prennent
leur petit déjeuner. Elles boivent le
jus parfumé des fleurs de marmolia en
l'aspirant, comme on fait avec une paille.

— Maman, pourquoi les Trompes-à-bec ont un bec si long et si pointu? demande une petite Zargouille.

— Je ne sais pas, mais il vaut mieux rester loin d'elles. Comme ça, on ne risque pas d'être piquées.

Vers midi, les Trompes-à-bec
rassasiées quittent les marmolias et
s'éloignent à la queue leu leu.

Aussitôt, les Zargouilles s'approchent
et grimpent aux arbres pour grignoter
les feuilles colorées des marmolias.

10

— Papa, pourquoi les Zargouilles ont de si longues griffes? demande une petite Trompe-à-bec.

— Je ne sais pas, mais il vaut mieux rester loin d'elles. Comme ça, on ne risque pas d'être égratignées.

Quand le soleil se couche, les Cracals se rassemblent au pied des arbres pour cueillir les fruits. Toute la nuit, on les entend fracasser dans leurs pinces les noix de marmolia pour en sortir les amandes sucrées.

Au petit matin, les Cracals retournent à leurs terriers, avant l'arrivée des Trompes-à-bec.

14

Depuis toujours,
il en est ainsi
au pays de Bombance.

Les animaux mangent
à des heures différentes
et ne se parlent jamais.

De l'autre côté de la forêt, il y a une presqu'île où pousse un seul arbre parmi quelques buissons. Cet arbre magnifique ressemble aux marmolias, mais jamais personne ne grimpe sur ses branches. Les Trotte-à-l'eau qui habitent là se nourrissent des produits de la mer.

17

Un jour, en revenant d'une cueillette
en mer, Trottaline aperçoit de la fumée
au-dessus de la forêt d'en face.
Elle sent un frisson courir
sous sa carapace.

— Trottalou! Trottalou! Regarde!

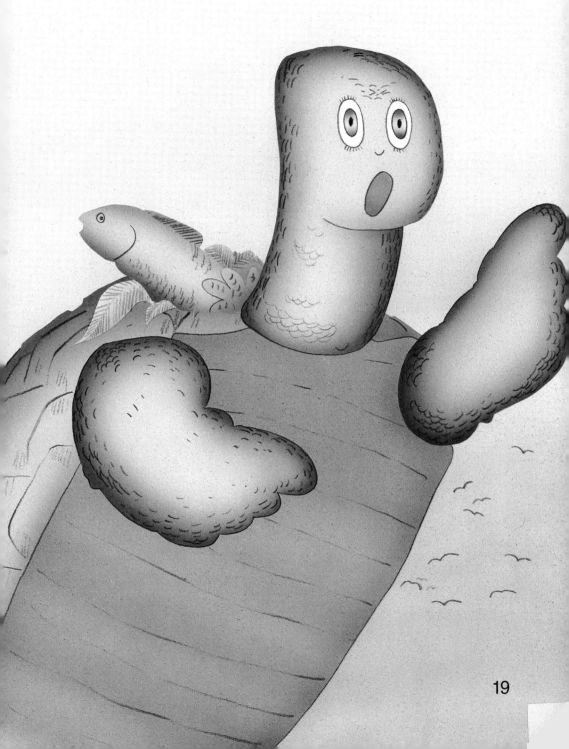

— Mais... on dirait que le feu est pris à Bombance, dit Trottalou. Tiens! là! les flammes qui courent d'un arbre à l'autre!

— Quelle catastrophe! dit Trottaline en serrant ses petits. Qu'est-ce qu'on peut faire? J'espère au moins que cette forêt n'est pas habitée. Restons près de l'eau, on sera à l'abri.

À Bombance, les animaux effrayés crient comme des perdus. Les Zargouilles voient le feu juste à côté, mais n'osent pas descendre des arbres de peur de rencontrer les Trompes-à-bec.

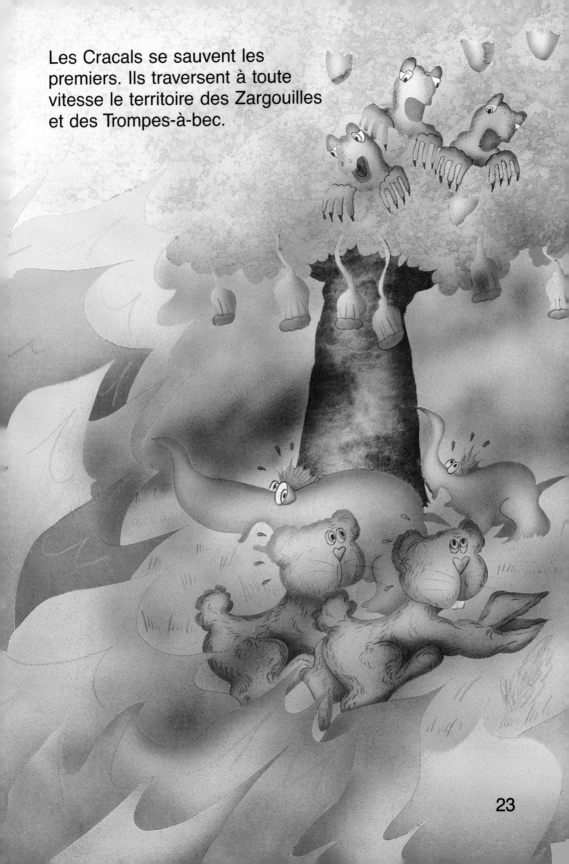

Les Cracals se sauvent les premiers. Ils traversent à toute vitesse le territoire des Zargouilles et des Trompes-à-bec.

23

Les Zargouilles, affolées par les Cracals, sortent leurs griffes et sautent d'un arbre à l'autre. Les Trompes-à-bec voient venir les Zargouilles qui ont l'air de voler comme des chauves-souris. Elles n'osent pas bouger.

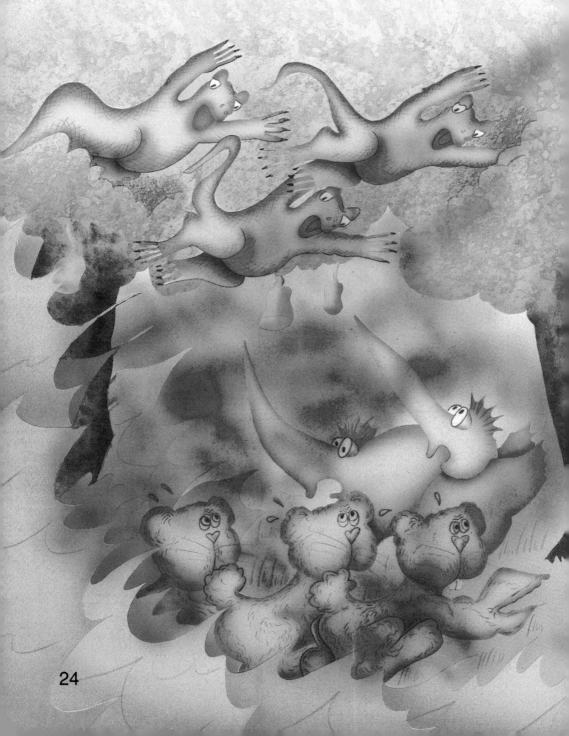

Une fois les Cracals passés, les Zargouilles dégringolent des arbres et se mettent à courir. Aussitôt, les Trompes-à-bec fuient à pas de géants en s'aidant de leurs trompes.

Heureusement, tous les animaux ont le temps de se sauver.
Ils arrivent à bout de souffle sur le chemin qui conduit à la
presqu'île.

Les Trotte-à-l'eau sont cachés dans les buissons et observent ce qui se passe. Trottalou s'approche pour écouter.

C'est la première fois que les animaux se voient de si près.
Ils se regardent, s'examinent et commencent à se parler.

— Regarde, maman! dit une petite Zargouille, sa trompe ne pique pas. Elle sert seulement de paille pour boire aux fleurs.

— On l'utilise aussi pour courir plus vite, dit une petite Trompe-à-bec. Mais toi, pourquoi caches-tu tes griffes?

— On sort nos griffes seulement pour grimper aux arbres, explique la petite Zargouille.

— Touche mes pinces, dit un petit Cracal. Tu vois, ce n'est pas dangereux! On s'en sert seulement pour casser les noix.

Trottalou a tout entendu. Il sort de sa cachette, va chercher les autres et leur explique ce qui se passe.

— Ces animaux viennent de Bombance. Le feu les a chassés. Ils ne sont pas méchants.

— Venez, allons à leur rencontre, propose Trottaline.

— Soyez les bienvenus sur notre territoire.

— L'incendie nous a chassés de la forêt. Nous avons eu tellement peur de mourir, dit un Cracal en tremblant.

— Nous sommes épuisées, soupire une Trompe-à-bec.

— Venez vous reposer sous notre parasol, dit Trottalou.

Et tout le monde va s'installer à l'ombre du marmolia. Les Trompes-à-bec respirent le parfum des fleurs et commencent à avoir faim.

Les Zargouilles voient briller au soleil les feuilles du marmolia. Elles en ont l'eau à la bouche. Les Cracals regardent plus loin les noix entassées et leurs estomacs se mettent à gargouiller.

— Vous ne mangez pas de noix? dit un Cracal affamé.

— Non, nous les empilons comme ça pour former un mur.
Ça nous protège du vent.

— Vous savez, avec ces noix, nous pourrions faire pousser une forêt, suggère un Cracal.

— C'est vrai. Nous, on pourra labourer la terre avec nos griffes.

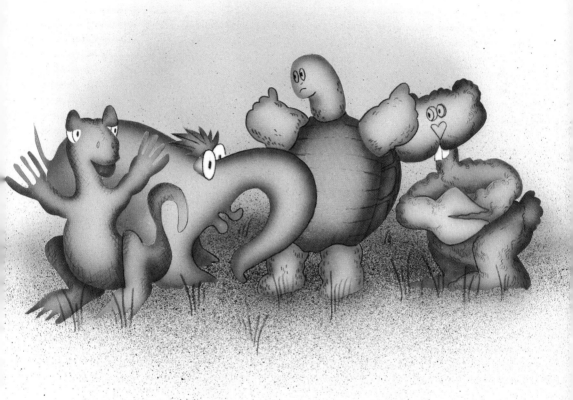

— Nous, on creusera les trous et on arrosera tous les jours avec nos trompes.

— C'est un beau projet, dit Trottaline, mais... une forêt, ça prend beaucoup d'espace sur la plage.

— Bien entendu, on plantera les arbres loin de la plage, dit un Cracal.

— Si vous voulez, nous allons en discuter en mangeant, dit Trottalou. Nous vous offrons un festin de mer.

Au bout d'un moment, les Trotte-à-l'eau étalent sur la plage leurs réserves de nourriture et tout le monde s'affaire à préparer des quantités de poissons, de coquilles, de fleurs et d'algues roses.

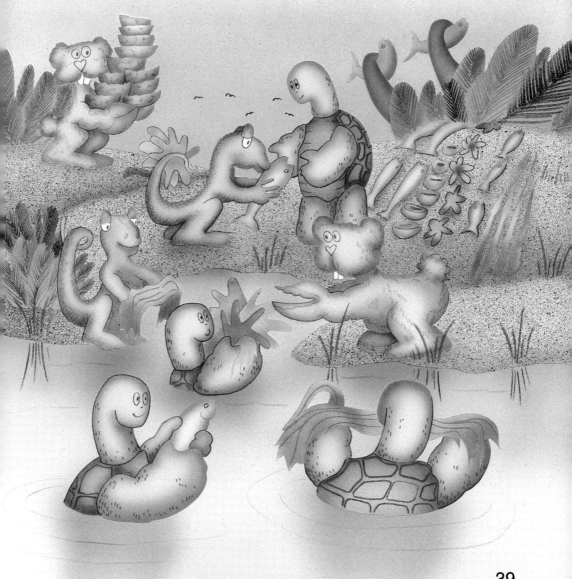

— Bon appétit à tous, s'écrie Trottaline, et que notre nouvelle amitié dure toute la vie!

Les animaux se font l'accolade et commencent à savourer les nouveaux mets. Les Trompes-à-bec déposent dans des coquilles le jus de fleurs pour faire goûter à tout le monde. Un peu plus loin, les Zargouilles préparent des algues roses et les offrent à manger.

Pendant ce temps, on entend éclater les coquilles dans les pinces des Cracals qui les présentent à leurs voisins. Le festin se termine vers minuit.

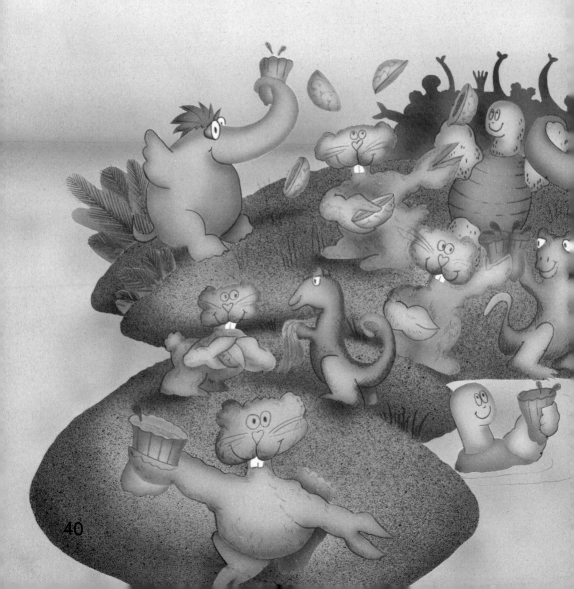

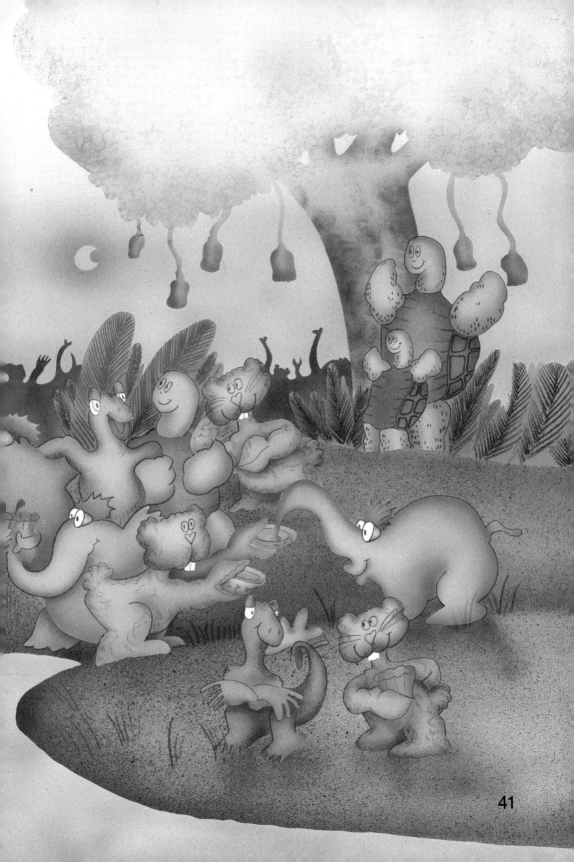

41

Dès le lendemain, on se met à retourner la terre, à préparer les noix et à les semer.

Dans les mois suivants, une nouvelle forêt de marmolias se met à pousser.

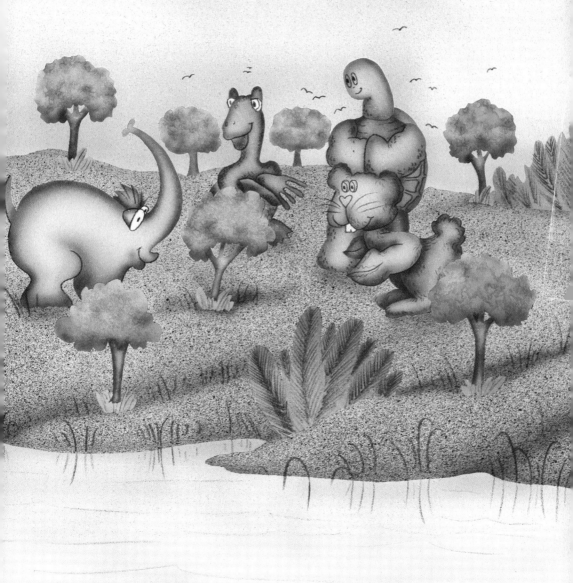

Depuis ce jour, les Trompes-à-bec ont retrouvé leur jus de fleurs parfumé, les Zargouilles leurs feuilles colorées et les Cracals leurs noix préférées.

Les Trotte-à-l'eau ont maintenant de nouveaux amis et commencent à apprécier le goût des marmolias.